Une petite fille appelée Participe

En fait, le nom complet de cette petite fille est *Participe Passé*. *Participe* habite dans le joli village de La Phrase et elle aime bien s'amuser.

Participe Passé

Quand *Participe* est **seule**, elle joue avec ses jouets. *Participe* **s'accorde** avec tous les objets qui l'entourent. C'est bien normal. Elle n'a aucune raison de se disputer avec la table ou avec son ourson en peluche!

Participe Passé a un copain qu'elle aime beaucoup. Il se nomme *Être*.

Participe adore être avec *Être*.

Être et *Participe* **s'accordent** toujours quand ils sont **ensemble**. Ils sont les meilleurs amis au monde.

Être   *Participe*

Dans le village de La Phrase, *Participe* connaît un autre enfant: c'est son voisin *Avoir*.

Avoir, lui, veut tout avoir. Il prend souvent les jouets ou la bicyclette de *Participe* sans lui en demander la permission. *Participe* n'aime vraiment pas ça.

Alors *Avoir* et *Participe* **ne s'accordent pas du tout.** Quand ils sont seuls tous les deux, ils se disputent.

Avoir   *Participe*

Avoir   *Être*   *Participe*

Être, le grand ami de *Participe*, est un garçon très gentil. Il déteste la dispute.

Si *Être* voit *Avoir* et *Participe* en train de se quereller, il se place vite **entre les deux** et leur dit :

«Mes amis, ce n'est pas bien de vous disputer ainsi. *Participe*, il faut que tu t'accordes avec les autres.»

Et *Participe* cesse alors de se quereller avec *Avoir* pour faire plaisir à son grand ami *Être* qui est là près d'elle.

Donc, quand *Avoir*, *Être* et *Participe* sont **tous les trois ensemble,** *Participe* **s'amuse sans dispute.**

Participe Passé a une marraine qui s'appelle *Complément d'Objet Direct.*

Quel drôle de nom pour une marraine! C'est un nom si compliqué que *Participe* la surnomme marraine *COD.*

Marraine *COD* habite aussi dans le village de La Phrase. *Participe* lui rend souvent visite et marraine *COD* lui demande chaque fois :

«As-tu été sage, *Participe*? T'accordes-tu avec tous les enfants du village?»

Participe s'empresse alors de répondre oui, car elle sait très bien que marraine *COD* la récompensera pour sa bonne conduite.

Alors, comme marraine *COD* est contente de savoir que *Participe* est aimable avec les autres enfants, elle sort un gros plateau de fruits et de gâteaux qu'elle offre à *Participe.* De plus, marraine *COD* lui donne souvent de très beaux cadeaux.

Marraine *COD* habite dans la maison juste en face de celle du détestable *Avoir*. Lorsque *Participe* rend visite à sa marraine, elle doit lui montrer qu'elle est gentille si elle veut manger de succulents gâteaux.

Donc, si **marraine** *COD* est sur le perron **avant,** *Participe* fait un effort et salue gentiment *Avoir* pour montrer à sa marraine qu'**elle s'accorde.**

Mais, si marraine *COD* se trouve derrière la maison à s'occuper du jardin, *Participe Passé* n'hésite pas à faire une vilaine grimace à *Avoir*.

Comme **marraine *COD*** est **derrière** la maison et qu'elle ne les voit pas, *Avoir* et *Participe* **ne s'accordent pas.**

Maintenant que je t'ai raconté l'histoire de *Participe*, te souviens-tu

☆ Où habite *Participe Passé*?

☆ Pourquoi *Participe* s'accorde lorsqu'elle est seule?

☆ Comment se nomme le meilleur ami de *Participe*, celui avec lequel elle s'accorde toujours?

☆ Qui *Participe* n'aime pas dans le village? Pourquoi?

☆ Quel est le drôle de nom de la marraine de *Participe*?

Tu sais que *Participe Passé* n'aime pas *Avoir*. Mais elle s'efforce d'être gentille et elle peut parfois s'accorder même si *Avoir* est là. À quels moments cela arrive-t-il? Rappelle-toi, il y a deux personnes que *Participe* aime beaucoup dans le village : c'est lorsque l'une ou l'autre de ces personnes est devant elle que *Participe* se montre gentille.

Et toi, t'accordes-tu avec tout le monde?

APPLICATIONS GRAMMATICALES

Participe est seule, sans Être ni Avoir
Elle s'accorde avec le mot qualifié : *Des jouets **fabriqués** à la main.*

Participe est avec Être
Elle s'accorde avec le sujet : *Les jouets **sont fabriqués** par Véronique.*

Participe est uniquement avec Avoir
Elle ne s'accorde pas : *Les enfants **ont mangé**.*

Participe est avec Avoir et Être
Elle fait un effort pour être aimable
Elle s'accorde avec le sujet : *Les jouets **ont été fabriqués** par Jocelyn.*

**Participe rend visite à sa marraine COD,
qui habite en face de chez Avoir**

Si le COD est devant, Participe s'accorde. C'est avec le COD qu'on fait l'accord : *Les pommes que j'**ai mangées**.*

Si le COD est derrière, Participe ne s'accorde pas : *Marielle **a mangé** des pommes.*

Pour trouver le COD (complément d'objet direct), on pose la question QUI? ou QUOI? après le verbe. Exemple : *Marielle a mangé QUOI? Des pommes.*

Si on faisait connaissance avec les deux petits frères de Être...

Je t'ai dit que *Participe Passé* et *Être* s'accordent toujours quand ils sont ensemble. En fait, ce n'est pas tout à fait vrai. Vois-tu, *Être* a deux frères qui sont jumeaux : *À Qui?* et *Essentiel*. Ils sont tout petits et se ressemblent énormément.

Mais *À Qui?* est un enfant très détestable. Il brise tout, il touche à tout. Il est **C**riard, **O**bstiné et **I**nsupportable (voilà pourquoi on le surnomme *COI*). *Participe* ne s'accorde jamais avec lui.

Au contraire, son frère jumeau *Essentiel* est un enfant très doux. Il parle sans arrêt et a toujours de nouveaux sujets de conversation. Comme *Essentiel* raconte toutes sortes d'histoires à *Participe,* ils s'entendent bien tous les deux.

Puisque *À Qui?* et *Essentiel* se ressemblent beaucoup, *Participe* a de la difficulté à les différencier de loin.

À Qui?   *Essentiel*

Alors, lorsque *Participe* aperçoit au loin *Être* qui s'en vient chez elle accompagné d'un de ses petits frères, elle se dit : «Oh non! J'espère que *Être* ne s'en vient pas ici avec *À Qui?*. Je déteste *À Qui?*.»

☆ La **première** chose qui vient à l'esprit de *Participe* est la suivante : «Ne paniquons pas. Vérifions d'abord si **marraine *COD* est à la maison.** Je vais faire la même chose que lorsque je vois *Avoir*. Si marraine *COD* est là et qu'elle est **devant, je vais m'accorder** pour lui montrer que je suis la plus gentille de ses filleules. Si elle est **derrière** à s'occuper de son jardin, **je ne m'accorderai pas!**»

✩ «**Deuxièmement**, se dit-elle, si **marraine** *COD* **n'est pas à la maison**, je vais regarder de plus près pour voir qui accompagne *Être*. **Si c'est le vilain** *À Qui?*, **je ne m'accorderai pas**, même si *Être* est avec lui.»

✩ «**Finalement, si ce n'est pas** *À Qui?*, ce sera donc essentiellement *Essentiel*, son frère jumeau. Dans ce cas, **je vais m'accorder** puisque j'adore ses sujets de conversation et toutes les histoires qu'il me raconte.»

Maintenant que tu as fait connaissance avec les deux petits frères jumeaux de *Être*, te souviens-tu

☆ Comment ils se nomment?

☆ Lequel est criard, obstiné et insupportable?

☆ Lequel raconte toutes sortes d'histoires sur différents sujets?

Pour décider si *Participe Passé* va s'accorder ou non :

☆ Quelle est la première chose que vérifie *Participe* quand elle aperçoit *Être* qui s'en vient avec un de ses petits frères? Que fait-elle si marraine *COD* est à la maison?

☆ Mais, si marraine *COD* n'est pas à la maison, quelle est la deuxième chose que *Participe* vérifie? Et que fait-elle alors?